시리도록 그리운

우리들의 이야기

작가의 말

그때 그 시절
배곯으며 몸으로 쉼 없이 버텨 오신
우리들의 어머니 아버지들은
삶의 무게에 짓눌린 굽은 허리와
오자로 휘어진 다리로

이제 아이가 되신 듯
어르신 유모차에 의지하고
지팡이에 의지하여 세월 주름 가득 안고
통증과 친구 하며 살아가고 계십니다.

그 시절엔 먹을 것이 없어 못 드셨지만
지금은 먹을 것은 넘쳐나건만

씹을 수 있는 이빨은 다 빠지고
소화시킬 위장의 힘이 없어 드시질 못하십니다.

오늘 이른 아침 가슴 시린 이야기를 환자에게 들었지요.

그렇게 많은 나이도 아닌데(65세)
진통제를 두 가지씩 몇 년을 복용했다고 처방을 해달라더군요.

다른 곳에서 받은 처방전을 가지고 왔기에
한 가지는 끊어야 한다는 애기를 했습니다.

환자는 말하더군요.
어려서부터 남의 집 머슴으로 가서 먹지 못하고
무거운 지게를 짊어지고 일을 해서 자라지도 못하고
골다공증과 관절염으로 통증이 심해서 약을 먹지 않으면
살 수가 없다고.

그 시절에는 집안의 입을 하나라도 덜기 위해
어린 자식을 머슴으로 보내는 일이 많았다는 것을
잘 알고 있기에 환자의 당시 상황이 짐작이 가서
가슴이 먹먹했습니다.

먹먹한 가슴은 그때 그 시절로 거슬러 올라가
우리의 부모님들이 살아온 세월과 우리가 살아온 세월이
아프지만 잊어서는 안 되는 우리의 소중한 역사라는
생각이 들어 이렇게 추억 열차에 올라 타봤습니다.

이 책을 통해 힘든 시절을 살아오신 베이비부머들의
부모님들이 버텨 오신 세월에 존경과 감사를 전합니다.

2024년 6월 김 서영

차례

2부 나의 살던 고향은 꽃피는 산골
(우리들의 학교생활)

3부

봄날 아지랑이처럼 사라져버린
추억어린 우리들의 언어들

4부

시는 노래가 되어

1부

가슴 시린 날들

우리의 어머니 아버지가 오신 길

1. 나의 사랑 나의 어머니

이른 새벽부터
가마솥에 소죽부터 끓여 먹이고
삼시 세끼 가마솥에 불 지펴 밥 지어
식구들 먹이시던 우리의 어머니들

낮에는 허리 한번 펴지 못하시며 밭일하시고
밤이면 호롱불 아래서 배 짜서
가족들 옷 해 입히시고

숯불로 다림질하여
겨울이면 무명옷
여름이면 모시옷 빳빳이 다듬어
시부모 남편 봉양하시던 우리의 어머니들

시집살이 고달파도 내색도 못 하고
연기 때문인지 서러움 때문인지
흰 행주치마에 눈물만 훔치시던 우리의 어머니들

그때의 어머니들이 그립습니다.
시리도록 그립습니다.
사무치게 보고 싶습니다.

2. 하늘같은 우리들의 아버지

밭 갈기 위해 쟁기 지고 소 끌고 들판으로 나가시어
소와 한 몸이 되어 구슬땀 흘리시던 우리 아버지들
소는 우리의 가족이었고 큰 재산이었던 그때 그 시절.

천수답이 대부분이었던 시절
하느님이 비를 내려 주시면 마을 모두가 한데 모여
모내기로 고단한 삶의 줄 팽팽히 당기셨던 우리 아버지들

가을이면
도리깨질에 고단함도 잊으시고

쭉정이는 바람에 날리고
멍석에 떨어지는 알곡을 보며
배불러 하셨던 우리 부모님들
어머니는 알곡을 모아 키질로 마무리를 하셨지요.

찬바람 무명 바지와 마고자 파고들어도
알곡 항아리에 담아 광으로 옮기시며
흐뭇한 미소 지으시던 그때 그 시절
하늘처럼 듬직했던 우리의 아버지들

그때 그 시절의 아버지가 그립습니다.
태산처럼 커 보였던 아버지가 그립습니다.
사무치도록 그립습니다.

***그때 그 시절 우리네 어머니는
하루 삼시 세끼를 위해 새벽부터
저녁까지 쉼 없는 고된 하루를 보내셨습니다.***

3. 춥고 배고팠던 시절

소나무 껍질 벗겨 피죽 끓여 먹어
큰 소나무 찾아볼 수 없고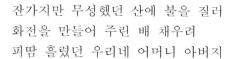

잔가지만 무성했던 산에 불을 질러
화전을 만들어 주린 배 채우려
피땀 흘렸던 우리네 어머니 아버지

배고픈데 춥기까지 했던 자식위해
아랫목 덥히려 삼십 리 먼 산까지 가서
땔나무 해오시던 어머니 아버지

생솔가지 나뭇짐에 넣어 왔다고
산감(산림감독원)에게 들켜 몇 달 먹을 곡식을
벌금으로 내고 다리에 힘이 풀려
신작로에 두 다리 뻗고 우셨던 우리 어머니들

그 시절 그때 서럽게 사셨던
우리의 어머니 아버지들
그분들은 우리의 역사입니다.

***민둥산은 메아리가 살지는 못했어도
우리네 어머니 아버지의 한숨 소리가
긴 산 그늘 따라 가득했지요.***

4. 사방산업

구호물자 밀가루 타먹기 위해
호미와 쇠스랑으로 맨땅을 파 모은 흙더미의 양을 측정하여
구호물자 밀가루를 나누어 주던 시절

밀가루 한 되박 얻어 풀죽 쑤어 먹으며
굳은 땅 파 들어갔던 저수지.

바위에 깔린 이웃집 아짐의 목숨 값과
등에 피멍 들게 돌멩이 나르던 아재의 피땀이 모여
저수지는 하나씩 모양을 갖추어져 갔지요.

수많은 이들의 피와 땀이 모여 만들어진 저수지에
물이 고이자 아내 잃은 젊은 아재는
매일 저녁 저수지 둑으로 달려가 통곡을 하였답니다.

*사방산업이란
수력이나 풍력에 의해 흙모래 자갈 등이 이동하는 깃을 막아
재해를 예방하거나 줄이려는 토목공사.*

***밀가루 한 되박 타먹겠다고
만삭의 몸으로 흙을 파다가 돌 더미에 깔려
하늘로 가버린 옆집 젊은 아짐의 한스럽고
배고픈 사연을 보며 자랐기에
풍요 속에 다 먹지 못해 음식을 버릴 때는
늘 죄스러운 생각이 듭니다.***

4. 똥구멍이 찢어지게 가난했던 날들

똥구멍이 찢어지게 가난했다는 말을 아시나요.
봄 나기가 저승길 가기만큼 힘들었던
굶주림의 시절

먹을 것이 없어 소나무 껍데기 긁어 먹고
소나무 껍질로 죽을 끓여 먹었지요.

소나무 껍질에는 타닌이 많았기에 변비에 걸렸고
그 죽만이 유일한 식량이었던 이들은

늘 변비로 똥구멍이 찢어져 피가 났답니다.

***똥구멍이 찢어지게 가난하다는 말은
우리의 배고프고 서러웠던 삶에서 만들어진
언어랍니다.***

6. 보릿고개

자라라는 보리는 더디 자라고
잡초들만 무성히 자라
그 풀 뜯어다 보리쌀 조금 넣어
죽으로 끓여 배를 채웠던 그 시절

동네 어귀 산은 이미 민둥산이었기에
땔나무 한 짐 하려 삼사십 리 먼 곳까지
다녔던 시절 나무라는 나무는
모두 잘라 방구들 덥히고

봄이 되면 듬성듬성 피어나는 진달래꽃은
눈으로 보는 것이 아니라
아이들의 간식거리가 되었기에

아이들 입은 분홍으로 물들고
앙상한 가지만 남은 진달래는
우리들의 삶처럼 배고픈 현실에서
희망의 봄을 기다려야만 했답니다.

***그렇게 견디고 건너 보리가 익어갈 즈음
하교 길에 보리 모가지 뚝뚝 꺾어
손으로 비벼 입에 털어 넣으면
풋풋한 보리 내음이 덜 여문 우리들
삶의 내음과 같았지요.***

7. 화전민을 아시나요.

봄이 와도 씨 뿌릴 땅 한 조각 없어
산에 불을 질러 밭을 만들어

씨를 뿌려 먹고 살았던 사람들
그들을 화전민이라 하였지요.

산에 큰 나무가 있었다면
불을 지른다고 밭이 될 수 없었겠지만

민둥산에
불을 지르면 호로록 타버리는
억새풀만 무성하니 화전민 생활이 가능했던 겁니다.

비료도 없고 퇴비도 없던 시절
풀을 태운 재가 거름이 되어

풍성하지는 않지만
주린 배를 채울 수 있었기에
화전민으로 살아가는 사람들이 많았답니다.

***내 고향에서는 땅이 비옥했기에
남의 집 소작농으로 먹고 사는 사람들은
있었지만 화전민은 보지 못했지요.

강원도가 고향인 베이비부머들은
부모님들이 화전민으로 생활했던
배고팠던 시절을 추억하곤 하죠.***

8. 산감을 아시나요.

그 시절 산은 거의 민둥산이었지요.

나무껍질은 먹을거리였고
나무는 땔감으로 모두 잘려나갔기에

산림청 직원들이 가가호호 수색하여
생솔가지 하나만 나와도 벌금을 물렸었답니다.

산림이 울창하여 멧돼지가 나와 도시를 휘젓고
다닌다는 뉴스가 심심찮게 나오는 지금의 산과

배고팠던 그 시절의 우리의 산은 하늘과 땅만큼
달랐답니다.

***산감이란**
산에 무단으로 나무를 베는 것과 산불을 감시하는
사람을 말하는데

그 시절에는 작은 소나무 가지만 꺾어도
많은 벌금을 물렸답니다.***

9. 밀주 단속

그 시절
장사를 하기 위해 술을 담근 것도 아니요.
집에서 마시기 위해 술을
담근 것도 아니었지요.

일꾼들이 술도가의 술은 좋아하지 않았기에
농사일 하는 일꾼들 먹이려
누룩 만들어 술을 담글 수밖에 없었답니다.

논밭이 있는 집에서는 대부분 농주를
빚었는데 나라에서는 밀주로 금했었지요.

그래서 농주를 빚으면서도 늘
죄짓는 마음으로 조마조마했답니다.

밀주단속원이 나왔다는 이웃의 외침에
동네 사람들은 술이 담긴 동이를
뒷산에 모아 놓곤 했던 어릴 적 기억이 생생합니다.

한곳에 모아 놓으면 누구네 술인지 모르기에
벌금은 물리지 않고 술만 압수해 갔었죠.

그런데 소리 소문 없이 단속원이 들이 닥친 마을에서는
가슴 치는 통곡 소리가 여기저기서 들렸었죠.

누룩의 양에 따라 농주의 양에 따라
벼 몇 가마를 벌금으로 내야 했기에
허기진 배를 더 허기지게 만들었던 시절이었지요.

그 시절 두려웠던 소리
산감이요.~~술 조사요.~~

***그 시절의 소리들은
돌아오지 않는 메아리가 되어
지금 이 순간 우리의 추억의 강물 속에서 흐르고 있습니다.***

10. 논바닥 갈라질 때

오뉴월 뙤약볕에 논바닥이
거북등처럼 쩍쩍 갈라지고
동네 아제들 흰 두루마기 입고
기우제 지내러 가던 날

하늘 보고 애 어른 할 것 없이
간절히 기도하였건만
쨍쨍 내리쬐는 햇볕은
간절한 소원마저 말렸지요.

둠벙(웅덩이)의 물을 두레박으로
퍼 올리기 한나절이 되어가건만
시들어가는 곡식은 타들어 가고

그것을 바라보는 내 어머니의 가슴도
타들어 갔었지요.

***그 시절 우리나라의 농은
하늘만 보고 농사를 지어야 했던
천수답이 전부였지요.

하늘이 비를 내려줘야 모내기도 했고
벼가 자랄 수 있었기에
가뭄의 논바닥 갈라짐은

우리의 생명 줄이 말라가는 것과 같았던
우리의 농촌 현실이었죠.***

11. 물차

수도 시설이 없었던 시절
도시 산동네에는 물차가 동네를 돌며
물을 나눠주곤 했지요.

물차가 도착하면 어른 아이 할 것 없이
집에 있는 빈 양동이나 대야를 들고
줄을 섰고 그 줄은 끝이 없었기에

뒤쪽 줄에 서면 물이 떨어질까
조바심하며 고개를 기웃거리며
앞에 몇 명이나 남았는지 헤아리곤
했었지요.

그렇게 가져온 물 한 동이로
밥도 짓고 설거지도 하고
식구들 세수도 했답니다.

언제 올지 모르는 물차이기에
아끼고 또 아끼면서.

***물차에 물이 다 떨어질까 조바심했던 시절
물차에 늘어선 줄만큼이나
긴 한숨 가득했던 양동이의 무게는
어쩌면 우리들 삶의 무게는 아니었나 싶습니다.***

12. 양은솥이나 냄비 때워요

일제 강점기에 놋그릇 다 빼앗기고
어찌어찌 숨겨놓은 반상기와 제기들은
엄마의 일거리를 가중시키는 그릇들이었죠.

수세미가 없던 시절
가마니 깔고 볏짚 태운 재를 묻혀
볏짚 돌돌 말아 수세미를 만들어
놋그릇을 있는 힘 다해 닦아야 했기 때문이죠.

어느 날 동네에
양은그릇 장사의 외침에
엄마는 놋그릇과 양은그릇을 맞바꾸셨지요.

닦지 않아도 된다는 장사의 말에 현혹되어
귀한 놋그릇을 얄팍한 양은그릇과 바꾸신 거죠.

그렇게 우리 곁에 온 양은그릇은
우리의 가난을 확인이라도 하듯 쉽게 구멍이 났고

골목에는 양은 냄비나 솥을 때우라는
아저씨의 쉰 목소리가 들려오곤 했지요.
"양은 냄비나 솥 때워~~ 냄비나 솥 때워"

***골목길을 타고 들려왔던
양은 냄비나 솥 때우라는 소리는
가난을 때움질하는 서러운 소리였던 건 아닐까 싶습니다.***

13. 야경꾼

어둠이 깔리면
굴뚝에 밥 짓는 연기가 피어나오는 골목이건
밥 지을 곡식이 없어 솥에 물만 끓이며
연기를 피우는 배고픈 골목이건

딱!딱!딱! 딱따기를 치며 골목을 돌았던
야경꾼의 애처로운 소리가 아련히 들렸지요

어쩌면 그 야경꾼도 주린 배를
허리띠로 질끈 동여매고 배고픔을 잊으려

혹은 어둠에 나타날지 모르는
도둑에 대한 두려움을 쫓으려
힘주어 딱따기를 쳤던 건 아닐까 싶습니다.
딱!딱!딱!

***야경꾼이란
야간에 화재나 범죄가 일어나지 않도록
순찰하는 사람을 일컬었지요.

그들은 가난한 고학생들이 많았고
손에는 박달나무로 만든 나무 조각을
맞부딪치며 골목골목을 다녔답니다.
딱 !딱! 딱 !
딱딱이를 치면서.***

15. 전기 아껴라

도시로 중학교를 가기 위해
혼자 유학길에 올랐던 그때
엄마는 저를 최고 비싼 1인실 방에
하숙을 시켜 주셨지요.

지금 기억하기로
일반 하숙비가 한 달에 3천원이었는데
저는 7천 원짜리 하숙방에 있었기에
주인아줌마가 방까지 밥상을 가져다주고
도시락도 싸 주었습니다.

하숙생 시절
공부를 하는데 12시만 넘으면
아줌마가 문을 두들기며 말했죠.

학생! 전기 다니까 이제 그만 자요.

주인집 아주머니의 성화에
구석에 자리하고 있던
촛불 켜며 공부했던 시절의 추억이 등불처럼
아른거립니다.

**그 시절 내가 하숙하던
하숙집 아주머니만의
얘기가 아니었지요.

이집 저집에서 전기료 많이 나온다고
빨리 자라는 어른들의 성화에 못 이겨
전깃불 끄고 호롱불에 앞머리 그을리며
지금보다 더 나은 미래를 꿈꾸었던
베이비부머들이랍니다.***

16. 골목의 소리

그 시절 우리의 놀이터는
골목뿐이었지요.

한 집에 서너 명의 아이는 보통이었기에
골목은 언제나 시끄러울 만큼
아이들의 소리로 가득했고

가끔은 동네 어른들에게
"배 꺼진다." 그만 뛰라는 꾸지람을 듣곤 했지요.

밥 때가 되어
여기저기서 밥 먹으라는 소리가
골목을 울려 퍼질 때까지
골목길은 언제나 왁자지껄 했었지요.

***골목에 넘쳐났던 우리들의 소리
그리고
아이를 부르는 어머니들의 소리는
어쩌면 희망의 소리였던 건 아닐까 싶네요.

철수야 밥 먹어라
인수야 밥 먹어라
영희야 밥 먹어라***

17. 술 찌개미에 취한 아이

5살 아이가 술에 취해 휘청거리며 걸었던 사연을 아시나요.

소나무 껍질 죽으로 배를 채우다
동네 양조장에서 얻어온 술 찌개미에
사카린 타서 아이에게 먹였던 어머니

배고픈 아이는 달달한 술 찌개미 받아먹고
발그레한 홍조 띤 얼굴을 하고
혀 꼬부라진 소리로
"엄마! 마당이 움직인다. 엄마도 돈다 "하면서
마당을 휘청거리며 다니곤 했지요.

술 찌개미에 취한 아이를 바라본
어머니의 마음은 어떠하셨을까요.

그 시절 가난의 시절
그때의 어머니를 생각하면 가슴이 아립니다.

***먹을 것이 부족한 시절
양조장에서 막걸리를 거르고 남은
술 찌개미를 버리지 않고 싼 가격에
팔았답니다.

술을 짜내고 남은
찌개미지만 곡식과 누룩도 먹을거리어서
그것을 사다 사카린 타서
배를 채웠던 시절이 있었답니다.***

- 41 -

18. 어머니들의 자존심

끼니때가 되어도 굴뚝에 연기가 나지 않으면
굶는 집이라 소문나기에

가마솥에 물만 붓고 굴뚝에 연기를 피우시며
연기로 인한 눈 매움보다
식구들 배고픔 채워주지 못한 서러움의
눈물 흘리셨던 어머니들.

그 아픈 시절을 버텨주신 우리의 어머니들
그분들을 존경해야 하고 위로해야 하고
인정해 드려야 하고 사랑해야 함이 우리의
도리이고 의무입니다.

***보릿고개 넘으면서
누렇게 부항 뜬 얼굴의
가난함과 궁핍함이 자랑은 아닐지라도
그 시절을 잊어서는 안 되지요.

풍요 속에 젖은 오늘일지라도
어제를 쉬이 잊지는 맙시다.***

19. 일꾼들의 마음을 헤아리셨던 내 어머니

내 어머니는 동네에서 인심 좋고
손이 크기로 유명하셨습니다.

일꾼으로 온 아재 아짐들에게
집에 있는 아이들도 데려와서 밥을 먹이라고 하셨지요.

쌀 한 톨이 아쉬운 시절이라
내 어머니처럼 밥 인심을 쓰기란 쉬운 일이 아니었기에

그 호의를 받는 아짐 아재들은 미안해서
아이들 부르는 것을 자주 하진 못하더랍니다.

어머니는 일꾼이 5명이면 커다란 밥그릇을 10개씩 꺼내
밥그릇마다 꾹꾹 주걱으로 눌러 담으셨습니다.

다음은 다섯 사람의 밥그릇 위에 다른 한 그릇을 올려
산더미처럼 된 밥그릇을 밥상에 올리셨지요.

내 어머니는 일꾼들이
위에 얹은 밥을 배불리 먹고
아래에 담긴 한 그릇을
가져가게 했던 겁니다.

아짐 아재들은 자신이 남긴
밥을 집으로 가져갈 수 있었기에
미안한 마음을 덜 수 있었던 거죠.

***훗날 내 어머니가 말씀하시더군요.
아이들을 데려오라 해도 데려오지 않았던 것은
미안해서 그런 것이니 밥을 따로 싸주면
그것도 미안해 할 것이 분명하기에
밥그릇 하나에 두 그릇을 꾹꾹 눌러 담았다고.

그 시절 배고팠지만 서로가 서로의 마음을 살폈던
아름다운 우리의 어머니 아버지들이셨지요.***

20. 어머니들의 사랑

이웃집 삯바느질 해주고 얻어온 보리쌀 한 되박
아이들 끼니만 챙겨주고

어머니는 일하는 집에서 많이 먹어 배부르다며
동네 우물로 나가 물로 배를 채우셨지요.

그때 그 시절 어머니들의
가난 속의 눈물 어린 사랑을 아시는지요.

아시는지요. 그분들의 사랑을.
아신다면 이제 우리가 그분들을 사랑해드려야 합니다.

모르신다면 그 시절을 돌이켜 보십시다.
그리고 알아드립시다.

그분들의 노고를.
그분들의 희생 어린 사랑을.

21. 쉰 보리밥

보리쌀 한 톨이라도 버릴 수 없었던 시절
여름날 한나절이면 보리밥은 쉬어 버렸지요.

쉰 보리밥 우물물에 씻어 드시던 우리네 어머니들
쉰 보리밥일지언정 많이만 있으면 좋겠다고 하시던

그때 그 시절 우리의 사랑하는 어머니들의
서러웠던 추억은 세월의 흐름 속에 묻혀
새 보리 싹으로 우리 곁에서 돋아났습니다.

새 보리 싹은 건강식품이 되었고
보리밥은 별미로 먹는 건강식이 되어 돌아왔네요.

꽁보리밥을 도시락으로 싸가서 가리고 먹었던
아이들은 이제 귀밑머리 파뿌리가 되어

별미 꽁보리밥을 찾아
맛 집을 유람하며 살아가고 있습니다.

아픈 지난날도 추억이라는 옷을 입으면
아름답게 보이는 것 같습니다.

22. 꿀꿀이죽

남양주 천마산 줄기에
천수답 논이 즐비해 있는 곳에
허리 구부정한 오누이 어르신이
사시고 계셨습니다.

그 골짜기에 터를 잡았을 때
할머니께서 천수답 논을 살 수 있었던
옛이야기를 들려주셨습니다.

할머니 할아버지는 젊은 시절
천마산에서 나무를 해서
달구지에 싣고 걸어서 청량리에 가서
팔았다고 합니다.

하루는 새벽부터 나무하고
그다음 날은 나무를 팔러 서울로 나갔답니다.

당시에는 미군들이 먹고 버린 음식을 모아
가마솥에 끓여 죽을 만들어 팔았답니다.
꿀꿀이 죽이었죠.

새벽녘에 집을 나와 서울에 나무 한 짐 팔아
손에 쥔 몇 푼으로 꿀꿀이죽 한 그릇 사 먹고
발 부르터지게 걸어 서쪽 하늘 해 넘어갈 즈음
집에 도착할 수 있었답니다.

**정작 나무장사의 집은
차디찬 구들장이었지만

나무 팔아 사 온 보리쌀로 늦은 저녁
배 채우는 가족들의 밥그릇 긁는 소리에
흐뭇한 미소로 잠을 이루셨답니다.
새벽에 산으로 나무하러 가야 했기에.***

23. 서울의 빨래터

물이 귀했던 시절
마포나루와 뚝섬은
빨래터였지요.

비누가 귀했던 시절
방망이로 두들기고 팔이 아프도록 문질러도
가난만큼 찌든 광목 치마저고리 마고자는
희어지질 않았지요.

그래서
잿물로 빨래 삶아주던 빨래꾼이 있었답니다.

서울에서는 전차를 타고 또는 걸어서
한강에 나가 빨래를 하였죠.

먼 길 나온 어머니들은 빨래는 강둑에 널어 말려놓고
한강 물을 떠서 마시고 허리춤에 싸온 주먹밥도 먹었답니다.
빨래터는 고단한 일상 속의 작은 쉼터였지요.

***지금의 카페처럼 편안한 의자나
달콤한 음료는 없었지만

맘껏 퍼마실 수 있는 한강 물과
시원한 강바람은 고달팠던 일과를 씻어주기에
충분 하였지요.***

24. 시골 빨래터

마을 뒷산 아래 저수지가 하나 있었습니다.
저수지에 고인 물은 마을의 빨래터였지요.

저수지 둑 판판한 돌을 골라
양잿물 녹여 만든 물렁한 갈색 비누로
흰 무명옷에 문지르면

흰 무명옷에 묻은 때는 갈색 비누로 덮였고
손으로 빡빡 문지르면 약간의 거품이 났지요.

문지르고 박달나무로 만든 방망이로 두들겨
헹구기를 몇 차례 하다 보면
원래의 모습을 드러냈지요.

가난했지만 백의의 민족답게
흰색을 많이 입었던 우리의 어머니들은
낡은 것은 어쩔 수 없지만 의복은 깨끗해야 한다며
바쁜 틈에도 팔이 아프도록 문지르고 두들기며
빨래하셨답니다.

***엄마들이 빨래를 하는 사이
우리들은 돌멩이에 붙은 우렁이를 잡았죠.

논에서 잡은 우렁이보다 맛은 없었지만
푸성귀만 들어간 된장국에 우렁이를 넣어
끓이면 단백질 섭취 부족한 그 시절에는
훌륭한 영양식이었답니다.***

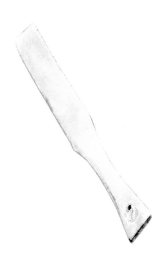

25. 종이 한 장 귀했던 시절

할머니! 종이 떨어졌어.
종이 줘.

종이가 귀했던 시절 변소에는
철사로 구부려 만든 고리에
신문지나 다 쓴 공책을 잘라 끼워 놓았지요.

콧물이 나오면 종이를 구겨서 콧물을 닦았기에
신문지로 닦으면 코에 잉크가 묻어
까맣게 되기도 했습니다.

그나마 종이가 없을 때
코 흐르는 아이의 코를 닦아준 건
엄마의 행주치마였지요.

행주치마 뒤집으시며 "이리 와라
코 닦자"고 하시던 우리의 어머니들이 그립습니다.

***물 한 방울 튀어 책상에 묻어 있어도
부드러운 티슈를 손쉽게 뽑아 쓰는
지금의 아이들에게 그 시절을 얘기하면
"나 때" "나 때" 하지 말라며 듣기 싫어합니다.

하지만 그 시절은 이 나라의 역사이기에
자랑으로 삼지는 못할지언정
알아야 하고 잊어서는 안 되지요.***

26. 창호지 문 바르기

추수가 끝나고 찬바람이 옷깃을 여미게 할 즈음
5일장에 가신 엄마는 닥나무로 만든 창호지를
사오셨지요.

밀가루로 풀을 쑤어
작은 빗자루에 풀을 묻혀 창살에 바르고
창호지에 입 분무기로 물을 조금 뿌린 후
양손으로 창호지를 펼쳐 발랐지요.

엄마는
다 붙인 문에 다시 입 분무기로
물을 뿜으셨고 몇 시간 지나면
창호지가 편편하고 짱짱하게 펴져 있었죠.

손가락으로 튕기면 탱탱 소리가 날 정도로
창문에 탄탄히 붙은 것을 확인하고 나면
창호지 바르기 겨울나기가 끝이 났었지요.

***가끔은 곱게 말려둔 단풍잎을
창호지 사이에 덧붙여 겨울에도 가을을
느낄 수 있게 모양도 내었지만

새로 바른 창호지는 며칠 지나지 않아
아이들에 의해 구멍이 났었지요.

뚫어진 구멍 사이로 황소바람이
찬 구들장을 더 차게 만들었기에
떨어진 양말로 구멍을 막기도 했답니다.***

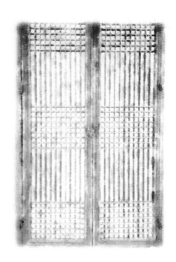

27. 벽에 걸린 옷걸이

집집마다 벽에 못을 박고 옷을 걸었던 시절
벽에 못을 박아 긴 대나무를 걸쳐 놓기도 했지요.

긴 옷걸이에는 아버지 두루마기 마고자가 걸려있고
옷에 먼지 묻을까 곱게 수놓은 옷보가 씌워져 있었지요.

봄가을 한 벌, 여름 한 벌, 겨울 한 벌의 옷들은
장롱이 아닌 반닫이 하나로도 충분했던 우리네 어린 시절

명절 때 옷을 사면 옷소매와 바지 길이를 접고 또 접어 입었지요.

쑥쑥 자라는 아이 따라 옷을 새로 장만해줄 수 없어
3-4년 후까지 입을 수 있게 큰 옷을 사서 입혔던
우리네 어머니 아버지

그리고 그렇게 몸에 맞지 않는 옷을 익숙하게
입고 자라왔던 우리 베이비부머들은 이제
유행지난 옷을 수거함에 쉽게 버리며 살고 있네요.
가끔은 그때 그 시절을 추억하며.

***아득한 옛날이야기 같지만 우리가 살아온
가난했던 그 시절을 추억 노트에서 꺼내보고
풍요 속에 살고 있는 현실에 감사할 따름입니다.***

28. 방안 윗목 걸레가 얼고

흰 눈이 소복하게 쌓인 초가지붕 그림을 보면
따사로움을 느끼지만

삶의 길목에서의 초가집 안 가난한 겨울은
춥고 배고프다는 말이 뼛속까지 시리게 다가왔지요.

흰 눈이 온 천지를 덮을 때 문풍지가 파르르 떨리면
찢어진 창호지 사이로 황소바람이 들어오고
솜이불 속에 누워도 얼굴은 차가워 콧등이 시렸었지요.

윗목에 떠놓은 자리끼 위에는 살얼음이 얼고
방을 닦고 빨아다 윗목에 놓은 걸레도
꽁꽁 얼어 있었던 그때 겨울은 참으로 길었지요.

춥고 배고프다는 말을 몸으로 느낀
그때 그 시절 우리들의 겨울나기였지요.

**겨울에도 집안에서 얇은 옷을 입고 지내는 지금
그때의 콧등 시린 차디찬 방안 공기는
어느덧 세월 속에 묻혀버렸습니다.***

29. 찹쌀떡 메밀묵 사려

밤을 재촉하는 찬바람이 골목을 감돌아
휘~~이익 소리를 낼 즈음

허기진 배로 잠 못 이루고 뒤척이는 가족을 위해
밤길을 헤매는 어느 집 가장의 처량한 소리가
서러운 겨울을 더 서럽게 만들었지요.

찹쌀떡이나 메밀묵 사~~려.
찹쌀떡이나 메밀묵 사~~려.

찹쌀떡 장사도 가난했지만
찹쌀떡을 사 먹는 사람들도
넉넉하지 못했던 시절이었죠.

부모의 속내도 모르고 아이들은
찹쌀떡 사달라고 졸라댔고
아이들의 성화에 못 이겨
찹쌀떡 몇 개를 사오면
아이들은 허겁지겁 찹쌀떡을 입에 넣었지요.

찹쌀떡을 입에 문 아이가
아버지는 왜 먹지 않느냐고 물으면
아빠는 배불러서 못 먹는다며
부르지도 않은 배를 부풀려 올리곤 하셨지요.

어머니는 왜 먹지 않느냐고 물으면
엄마는 찹쌀떡을 싫어한다고 하시며
아이들 먹는 입을 보는 것만으로도
배불러 하셨지요.

***그때는 몰랐습니다.
어머니도 찹쌀떡을 좋아하셨고
아버지 배는 늘 홀쭉했다는 사실을.***

30. 안마사의 피리 소리

밤이슬 내리는 소리 들리도록
적막한 골목길에 삐~~~삐~~~
맹인 안마사의 피리 소리가 애달프게 울려 퍼지고

어디선가 들려오는 아이 울음소리에도
혹여나 자신을 부르는가 싶어
돌아보고 또 돌아보며

통금 전까지 피리를 불어보지만
찾는 이 없고 서러운 바람 소리만 흐르던
골목길.

그때 그 골목길은 우리 어머니 아버지의
삶의 터전이었기에 애환이 가득했지요.

그 골목길은
배고파서 먹고 살기 위해
구슬프게 불어대던 피리 소리를 묻은 채

세월의 강물 저 바닥에서만 숨죽여
흐르고 있네요.

***그때의 골목길은
밤이 낮인 듯 네온사인이 번쩍거리고
밤을 잊은 사람들로 가득하고

어둠 속 애잔한 소리들은 우리들의
시린 추억 속에서 숨 쉬고 있습니다.***

31. 새벽의 소리

통금이 해제되는 새벽 4시가 되자마자

길 다란 장대를 들고 징을 치는
굴뚝 청소부의 애잔한 종소리.

목판에 담긴 두부를 지게로 짊어지고
구부정한 허리로 한 손은 지게다리를 잡고
다른 한 손으로는 땡그랑 땡그랑 흔들어대던
두부 장사의 종소리 "두부나 콩나물 사려~~"

수건으로 머리를 감싸고
갈대로 만든 또아리 위에
헌 옷가지로 감싼 항아리를 머리에 이고
외쳐대던 "재첩국 사이소.~~"

먹고 살기 위해
밤잠 설치고 만든 재첩국과 두부 이고 지고
새벽 찬바람 온몸으로 맞으며
허기진 배에 힘주고 외쳤던 그 소리는
가난한 우리들의 소리였지요.

***연중무휴로 언제든지
필요한 것을 살 수 있는 편의점 마트들에 묻혀
그 애처로웠던 가난의 소리들은
잊혀져버린 추억의 소리가 되어 버렸습니다.***

32. 통금시간

1936년 이후로는 밤 12부터 새벽 4시까지는
통행금지가 있어 수많은 날의 밤들을
우리에게서 빼앗아 가 버렸지요.

일을 하다 귀갓길이 늦어지면
통금시간에 쫓겨 헐떡였고
경찰서 보호소에는 통금시간에 걸린
사람들로 인해 가득 했었지요.

성탄절과 12월 31일에는 통금이 해제되어
하루 24시간을 모두 가질 수 있는
최고의 날이었습니다.

통제 속에서의 자유는
하루 24시간을 온전히 누리고 있을 때의
자유와 비교할 수 없는 해방감이었지요.

어쩌면 사람살이도 마찬가지인 것 같습니다.
누릴 때는 그 누림의 감사를 모르고 살아가니까요.

***밤이 낮인 듯 밝아 하늘의 별마저 보이지 않는
휘황찬란한 도회지의 밤거리를 살아가노라니

야경꾼의 딱딱이 소리가 안마사의 피리 소리가
찹쌀떡 메밀묵 장사의 애절한 가난의 소리가
세월을 거슬러 돌아올 수 없는
추억 속에 숨어 버렸네요.***

33. 소리통이라 불리던 라디오

소리통 앞에 모인 동네 사람들
소리통 망가진다고 아이들은 가까이 오지 못하게 했던 시절.

지붕으로 솟은 장대 안테나는 부(富)의 상징이었지요.
그 집에는 진공 라디오가 있다는 표시였기 때문이죠.

그때는 가정환경 조사서라는 것을
학교에서 작성하게 하였는데
가지고 있는 집안 물건에 라디오라 적어 넣을 수 있는
아이는 부러움의 대상이었답니다.

귀하디귀했던 진공 라디오는 세월 따라 조금씩 발달되어
본채보다 더 커다란 배터리를 고무줄로 칭칭 동여매고
우리 곁에 다가와서 우리 삶의 애환을 담았었지요.

***지금도 생각납니다.

"진실 따라 삼천리"라는 아저씨 특유한
떨림의 목소리에 우리 동네 애기가 나왔었죠.

삿갓봉 애기 그리고 일본 놈들이 산맥을 끊기 위해
우리 동네에서 산 너머 동네로 길을 내고 말뚝을 박아
장군이 나올 수 있었는데 못 나왔다는
진실이었습니다.

라디오에서 흘러나오는 이야기를 들으며
우리들은 흥분하고 화를 내며 라디오에
삿대질도 했었지요.

그때 그 시절 진실을 들으며 일본 놈 죽일 놈이라며
애국 소년·소녀의 싹을 키웠답니다.***

34. 어머니 아버지의 삶의 무게

목이 주저앉을 만큼 고되게 밭농사 지어
콩팥 보따리 머리에 이고 5일장에 팔아
도시로 공부하러 간 아들의
자취방 월세 값 마련해 속 고쟁이에 달린
주머니에 깊숙이 넣어 옷핀으로 잠그시고

이마에 맺힌 땀 훔치시고
국밥 한 그릇 값도 아끼시며 시오리 길을 주린 배
허리띠로 질끈 동여매고 되돌아오시던 그 길
신작로 먼지 날리던 그 길이 얼마나 멀게 느끼셨을까요.

그 길 그 머나먼 길
키보다 더 높은 나뭇짐을 짊어지고
구부정한 자세로 땅만 보며 5일장으로
나무 팔러 가셨던 아버지의 발걸음은
천근만근 삶의 무게만큼 무거웠을 겁니다.

그때 그 시절 우리의 어머니 아버지들은 삶의 무게 짓눌림으로
허리는 굽고 다리는 휘어지셨지만 당신들 몸 돌아볼 여지도 없이
자식들 먹여 살리고 공부시키느라 일생을 바치셨지요.

***그렇게 걸어오신 우리의 엄마 아빠들이
지금 제 병원에 오십니다.

휜 다리를 끌며 굽은 허리로
어르신 유모차에 의지하여 오십니다.

내 어찌 그분들을 사랑하지 않을 수 있겠습니까.
우리의 어머니 아버지 대한민국의 어머니 아버지
감사합니다. 고맙습니다.***

35. 유랑극단

어른이 아이처럼 색동저고리 입고
북 치고 장구 치며 얼굴에는 흰 분칠을 하고
흙먼지 날리는 신작로 길을 따라 그들이 나타나면
온 동네는 잔칫집처럼 시끌시끌하였지요.

무대에 오른 아이가 활처럼 휘어지는 것을 보고
식초만 먹어서 저렇게 부드럽다는 말에
부뚜막의 식초를 사발에 부어 코를 막고 마셨던
추억이 아련하네요.

재주 하나로 전국을 떠돌던 그때 유랑극단의 삶은
정처 없는 부평초 같은 인생들이었지요.

그때 그 시절
서커스를 하는 사람도
구경하는 사람도 한 서린 삶이었기에
창을 해도 신파극을 읊어도 모두가 울었었지요.

유랑극단의 이야기들은 고달픈 우리 삶의 소리였으니까요.

***이 고을 저 고을
가을의 철새처럼
봄이면 봄바람 따라
가난의 옷을 숙명인 양 대물림으로 받아 입고
유랑했던 그 시절 그 풍각쟁이들의 후배들은

이제"연예인"라는 명칭으로
커다란 스크린 앞에서만 만날 수 있고
모두가 희망하는 직업군이 되어있네요***

36. 판자촌

해방촌에 들어선 판잣집
이름은 판잣집이었건만

판자도 없어 골판지와 거적으로
더덕더덕 얽어 만든 판잣집에서는
비 오면 비가 줄줄 겨울이면 황소바람이
거적을 뒤흔들었고,

그마저 없는 이들은
한겨울 추위에 얼어 죽기도 했답니다.

해방촌의 판잣집은 청계천과
창신동으로 넓혀져 갔고,

송곳 꽂을 땅 한 조각도 없는 이들은
소작농이 되지도 못해 가난을 싣고
서울로 밀려들고 또 밀려들었답니다.

일자리를 찾아 서울 살이 시작한 이들에 의해
봉천동 산동네까지 판잣집을 지어갔고
서울은 판잣집으로 즐비하였지요.

***지금은 하늘 높은 줄 모르고
높이 솟은 아파트에서
추위 없는 겨울, 더위 없는 여름을 살고 있는
우리의 어머니 아버지들은 그렇게 기적을 치고
엄동설한을 건너셨고 오뉴월 뜨거운 태양아래
땀으로 목욕을 하며 살아 오셨답니다.***

38. 봇짐장사

그 시절에는 봇짐장사가 많았지요.
미역을 머리에 이고 팔러온 섬마을 아낙네.
명태를 짊어지고 팔러온 바닷가 아저씨.
그땐 물건을 팔고 돈을 받아가는 경우는
드물었답니다.

물물교환처럼 미역을 팔고 곡식을 받아갔기에
봇짐장사는 늘 무거운 짐을 이고 지고 다녔습니다.

그 고된 발걸음이 안쓰러워 제 할머니는 봇짐장사를
쉬었다 가게 하시고 끼니가 되면 밥상을 내어주곤
하셨던 기억이 납니다.

신세 진 것에 고마워하며 미역장사 아낙네가
뚝 떼어준 미역귀를 씹으면
미끈한 진액이 부드럽게 입안을 가득 채웠고

명태장사 아저씨가 떼어준 명태 눈알을 빨아 먹으면
겹겹이 벗겨지고 하얗게 된 눈알만 남곤 했던
아득한 추억이 시계를 거꾸로 돌아가게 하네요.

***무겁디무거운 소금을 지게에 지고
굽은 허리 펼 수도 없던 봇짐장사

동네 어귀 우물가에
지게를 고어 놓고
물 한 바가지 얻어 배를 채우고

바람 따라 햇볕 따라
이 동네 저 동네 떠돌며

"소금 사려~" "소금 사려~" 외치던
그 아픈 날들은 세월의 강물에
흘러가 버렸습니다.

밤에 두들긴 키보드 한 번에
새벽이면 문 앞까지 배달되는 오늘을 살고 있는
베이비부머들의 추억 속 봇짐장사의 외침만 살아 있을 뿐.***

39. 낫 놓고 기역 자 모르던 시절

낫 놓고 기역 자도 모르는 사람이 많던 시절
농촌에서는 막대기 숫자로 투표를 해야만 했지요.

미국에서 시작한 4H 운동은
네 잎 클로버로 야학을 시작하여
농사일로 지친 이들의 문맹퇴치에 애를 썼고

아는 것이 힘이라는 격언은
배움에 목말랐던 이 나라 사람들에게
깊숙이 자리매김하였지요.

어제의 지식이 오늘은 낡은 것이
되어버리는 지금이지만

낫 놓고 기역 자도 모르던
우리네 어머니 아버지는

자식만은 배고프지 않고
손톱 밑에 흙 들어가지 않게 하겠다며

학교를 보내고 학교 보낼 형편이 안 되면
통신강의록으로 인정해주지 않는
졸업장이라도 따라고 성화를 부렸었지요.

그 낫 놓고 기역 자도 모르던
우리의 어머니 아버지들은
자식들이 더 나은 삶을 살아가기 원하셨고

너만은 우리처럼 살면 안 된다고 가르치셨기에
지금의 대한민국이 만들어진 것이지요.

***4H 운동이란

지(智)[Head] 덕(德)[Heart] 노(勞)[Hands]
체(體)[Health]의 영어 앞 글자를 딴것입니다.
마크는 네 잎 클로버였지요.

한국에서 4H 운동은
농촌의 청소년 지도사업을 목표로
마을 청소년층에서 자생적인
지도자를 키워내는 역할을 하였지요.***

40. 미니스커트 단속

그 시절에는
미풍양속 보호라며 젊은이들의
머리와 복장에 제약을 두었고
길거리를 지나가는 사람들의
차림새를 단속 하였지요.

'경범죄 처벌법'에 따르면
미니스커트 단속 기준은
무릎 위 20cm이었답니다.

경찰이 자를 들고 다니며
길거리에 쪼그리고 앉아
미니스커트 입은 여성들의
무릎에서부터 치마 끝까지의
길이를 재고 다녔지요.

무릎 위 20센티가 넘으면
미풍양속을 헤쳤다고
경찰서로 잡혀가야 했기에

여성들은 경찰이 나타나면
허리에서 밑으로 치마를
내려 입곤 했답니다.

지금 생각하면 코미디 같은 옛이야기지만
시절 따라 인식도 법도 바뀐다는 말이
실감 나는 그 시절 우리의 삶이었답니다.

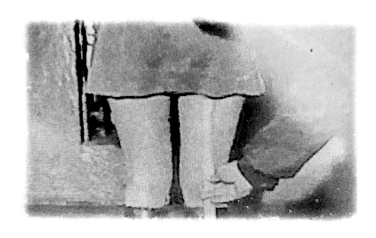

41. 불쌍한 우리선생님

초등학교 시절
추운 겨울날 도시에서 전근 오신
여자 선생님이 다리가 다 드러난
짧은 치마를 입고 나타나셨지요.

그날따라 추운 날이었기에
선생님이 무척 추워 보였고
우리들은 선생님이 돈이 없어서
짧은 치마를 입었다고 생각했지요.

그 여자 선생님이 너무 불쌍해서
집에 가자마자 할머니한테 치마 하나를 달라고
했습니다.

할머니가 이유를 물으셔서, 여자 선생님 애기를 했죠.
할머니는 애기를 다 들으시더니
쯧!쯧!쯧!
그 여자 선생님 가여워서 어쩌누.
하지만 치마를 가져다 줘도 입지 않을 것이라고 하시더군요.

그래도 난 할머니의 긴치마 하나만 달라고 졸랐고
할머니는 웃으시면서 반닫이 농에서

치마 하나를 꺼내 주셨죠.

다음날 그 치마를 보자기에 싸가지고
교무실로 가서 그 여자 선생님께 드렸지요.

여자 선생님은 보자기를 열어보시더니
이걸 왜 가져 왔냐고 물으셨죠.

"선생님이 돈이 없으셔서 치마 천을 조금밖에 못 샀잖아요.
그래서 춥게 다니시니까 긴 치마를 가져왔어요." 라고 답했죠.

그 순간 교무실에 계시던 선생님들이 모두 웃으셨죠.
난 왜 웃는지는 몰랐지만, 뭔가 잘못 된 건 느꼈죠.

그때 담임선생님이 다가오시더니
교실로 가자고 내 손을 잡아끄셨죠.

선생님은 내 머리를 쓰다듬으시며 말씀하셨습니다.

"여자 선생님은 돈이 없어서 짧은 치마를
입으신 것이 아니란다."

"너도 저 선생님처럼 아가씨가 되면
왜 저 선생님이 짧은 치마를 입었는지 알 거다."라고

***그때는 미니스커트가 유행이었지만
대중화되지는 않았기에
어린 나이의 나와 친구들은 돈 없는 사람이
옷감 살 돈이 없어서 짧은 치마를 입는 줄 알았답니다.

그때 그 시절 참 순수했던 나의 어린 시절은
미니스커트를 그렇게 접했지요.***

42. 장발 단속

경찰은 가위를 들고 다니며
장발을 단속하러 다녔지요.

70년대 초 장발족 무기한 단속에 나선
서울 경찰청은 일주일 동안에 만 명 이 넘는
사람들을 잡아들였다고 합니다.

이들 가운데 수천 명은 머리카락을 깎아서 풀어주고
이를 거부한 이백여 명을 즉결심판에 넘겼다고 합니다.

장발 단속 기준은 옆머리가 귀를 덮고
뒷머리가 옷깃을 덮거나
남자가 파마한 경우였지요.

어쩌면 그 시절 자유로운 영혼이 되고 싶은
젊음의 표현이 장발이고 짧은 치마 입기였을 겁니다.

***검은 머리를 노랗게 혹은 파랗게 빨갛게
온갖 머리 패션이 유행하는 이 시절을 사는
베이비부머들의 젊은 날은 그렇게 많은 제약을
받으며 살았지요.

세월은 반백년이 흐르고 흘러
그 제약들마저도 아름다운 추억의 한 페이지가
되어있네요.***

43. 그때 그 시절

여고 시절
양 갈래로 땋은 머리의 표본은 3단 7센티.
지금도 잊을 수가 없는 숫자입니다.

세 번 꼬아 따서 고무줄로 묶고 7센티 꼬리 남기기.
선생님은 7센티 머리꼬리를 자로 재면서 단속을 했었지요.

보통의 학생들은 그 규칙을 지켰지만
조금 논다는 친구들은 애교머리에 3단을 느슨하게 따고
7센티를 더 길게 남겼기에
선생님 손에 들린 가위에 의해 강동강동 잘렸답니다.

남학교 학생들의 머리가 길면
선생님이 가위로 쥐 뜯어 먹은 것처럼 잘라놓기에
길에서 그런 머리를 한 남학생들을 쉽게 볼 수 있었고요.

어느 날은 기말고사에서 꼴찌반이 되었다고
화가 나신 선생님은 치마 입은 우리들에게
5명씩 교단 앞으로 나오게 해서

종아리에 자국 생기도록 회초리로 때리기도 하셨지요.

수업시간에 옆 사람하고 얘기하는 사람이 있으면
선생님은 분필을 던져 우리의 머리를 맞추기도 했었죠.

초등학교부터 30센티 자로 손바닥 맞는 것은
보통 있는 학교생활이었던 우리 베이비부머들은
요즘 뉴스에 나오는 학부모들의 행동에 그저 할 말을 잃는답니다.

***교실에서 떠드는 학생에게 조용히 하라고 훈육을 하면
학부모가 아동학대라며 고발하고 선생님을 괴롭히고
급기야 자살까지 하는 선생님이 생겨나고 있습니다.

훈계하는 선생님에게 카메라 들이대며 동영상 찍겠다고
협박하는 학생도 있다는 뉴스는 가슴 아픈 현실이 되어
버렸습니다.

시대 따라 기준이 달라진다고는 하지만
사람 사는 세상에 사람 도리의 기준은 있어야 하건만,
그 기준마저 망각해져 가는 것 같아 가슴 한구석이
허(虛) 하고 쓸쓸합니다.***

2부.

나의 살던 고향은 꽃피는 산골
(우리들의 학교생활)

1. 하얀 꽃 손수건

그때 우리는 코를 많이 흘렸지요.
누런 코 하얀 찐득한 코가 흐르면
옷소매로 쓱 닦곤 했기에
아이들의 옷소매는 콧물이 말라붙어
반질반질했었지요.

코는 옷소매가 아닌
손수건으로 닦으라고
1학년 입학 날이면 왼쪽 가슴에
손수건을 달고 학교에 갔답니다.

코가 나오면 어른들은
콧구멍을 한 손가락으로 막고
한쪽씩 팽~하고 풀었고

조금 점잖은 사람들은
손수건을 꺼내 코를 풀었으며

아이들은 엄지와 검지로 코를 잡고
코를 풀고 그 손은 옷이나 나무 아니면
담벼락에 쓰~윽 문지르곤 했답니다.

그 시절 수수께끼 중에는
흰 영감과 노란 영감이 들랑날랑하는
집이 뭘까요? 라는 수수께끼가 있을 정도였지요.
그 정답은 콧구멍이었답니다.

그때 그 시절에는
노란색 콧물이 흐르는 친구도 있었고
희고 찐득한 콧물이 흐르는 친구도 있었기 때문이지요.

***지금 생각하면
아이들은 늘 코가 흐르고 있었고
누런 코는 세균감염까지 일어난 상태였건만
콧물은 당연한 것이라 받아들이며 살았던 거죠.

아이가 재채기 한 두 번 하고 맑은 코 조금 흘러도
병원으로 데리고 오는 아이 엄마들을 낳은
베이비부머 시대 우리는 그렇게 살았답니다.

그렇게 자란 것이 자랑은 아닐지라도
잊어서는 안 되지요.
그때 그 시절은 우리 대한민국의 역사이니까요.***

2. 오전반 오후반

교실은 콩나물시루처럼 아이들로 빼곡하였고
그런 교실도 부족하여
1학년부터 3학년인 저학년은
오전반 오후반으로 나누어 공부를 하였지요.

오후반인 남자아이들은
이른 아침부터 소죽 쑤고 소 꼴 한 망태기 해서
소먹이로 외양간에 넣어놓고 학교엘 갔지요.

여자아이들은
아이가 아이를 키우느라
동생을 업고 물을 길어다 부엌에 있는
큰 항아리를 채워 놓고 학교엘 갔고요.

이건 계모에게 구박받는 콩쥐 팥쥐의 얘기가 아니라
그때 우리가 아이였던 시절 일반적인 농촌 가정의 일상이었지요.

*** 그때 그 시절
열악한 환경 속에서도
자식들을 학교에 보냈던 것은
배워야 산다는 말을 실천시키려던
이 나라 어른들의 의지였고,

가난만은 자식들에게 물려주고 싶지 않았던
우리의 어머니 아버지들의 마음이었습니다. ***

3. 땔감 구해 학교 가기

겨울이면 2분단과 3분단 사이
앞에서 3번째 자리에 난로가 놓였습니다.

땔감은 각자 집에서 가져오라는 선생님의 말씀을
잘 따르는 학생은 난로에 가깝게 앉았고
나무를 가져오지 못하면 난로에서 멀찌감치 떨어져
4분단 복도 쪽에 자리하곤 했습니다.

어느 날 엄마가 새끼줄로 묶어주신 장작을
깜빡 잊고 집에서 가지고 나오질 못했었죠.

학교까지 가는 길 오른쪽에 산이 있었기에
산에 올라가 땅에 떨어진 서리 묻은 나뭇가지를 주워
칡넝쿨로 동여매서 시린 손을 호호 불며 학교에 갔던
기억이 납니다.

그때 나에게 선생님의 말씀은 하늘의 말씀이었으니까요.

***땔감 하나도 우리 손으로 구해
교실을 덥혀야 했던 그때 우리들의
학교생활은 어떤 고난도 이겨나갈 수 있는
끈기와 힘을 키워준 산교육이었던 것 같습니다.***

4. 비닐우산

비 오는 어느 날
수업이 끝나고 쉬는 시간
옆 반 선생님이 세상에서 처음 보는
2단 우산을 들고 우리 교실로 오셨었죠.

우리 반 선생님에게

2단 검정색 우산을 자랑하던 기억이 나네요.

당시 우리가 가지고 다니던 우산은
대나무 가지가 우산살인 파란색 얇은 비닐로
만든 우산이나 접이식이 아닌 긴 우산이었죠.

바람이 약간만 불어도 우산은 홀랑 뒤집어지고
우산살과 비닐이 따로 분리되기 일쑤였죠.

비닐우산도 없이 비료 포대를 고깔처럼 만들어
머리에 쓰고 학교에 가는 친구들도 있었답니다.

***우리 병원의 우산꽂이에는
비가 한번 오고 나면 주인 잃은 우산들이
몇 개씩 놓여 있곤 합니다.

잃어버려도 찾지 않을 정도로 흔해진
고급 우산들이 그때 그 시절에는
구하려 해도 구할 수 없는 외국산 물건이었죠.***

5. 송충이 잡기

산은 민둥산이어서
"산에 산에 산에다 나무를 심자
메아리가 살고 가는 나무를 심자"라는
노래까지 있었던 시절

듬성듬성 있는 동산 나뭇가지에는
송충이가 바글바글했었죠.

학교에서는 학생을 동원하여
송충이 잡기를 시켰고

우리는 깡통을 가지고 나뭇가지를 젓가락처럼 만들어
나무에 붙은 송충이를 잡아 깡통에 넣었죠.

깡통이 어느 정도 차면 선생님께 보여드리고
불에 태워 송충이를 죽였습니다.

그때는 수업시간을 빼먹으며 송충이를
잡으러 산으로 갔던 겁니다.

***그 시절 송충이 잡기는
시골에서 어린 시절을 보냈던
우리들만의 일이 아니고 전국적으로
시행되었던 국가적 사업이었죠.

우린 어린 시절부터 잘 사는 나라를 만들기 위해
알게 모르게 작은 힘을 보탰던 겁니다.***

*만약에 지금 그런 일을 학교에서 시킨다면
학부모들이 어떤 반응을 보일지 상상을 해 보니
왠지 가슴이 허(虛)해오네요*

6. 꽁보리밥 도시락

양은 도시락 한쪽에는 장아찌 그리고 꽁보리밥.
꽁보리밥이 부끄러워 도시락 뚜껑으로
가리며 먹던 아이들

꽁보리밥도 가져오지 못해
감자 서너 알 담아 와서 가리며 먹던 아이들

꽁보리밥도 감자도 없어
도시락을 가져오지 못해

학교 뒷산에 올라 소나무 가지 꺾어
껍질을 질근질근 씹어 먹던 아이는
시린 가슴만큼 콧등도 시렸겠지요.

7. 음악 시간

풀벌레 소리 잔잔하게 귓전을 울리는 시절
둑에 나가 풀잎 뜯어 반으로 접어
풀피리 불면 삐~삐~
봄의 소리가 우리의 노래였지요.

여름이면 버들가지 꺾어 비스듬히 자르면
조금 선명한 삐!삐!
버들피리 소리는 악기 아닌 악기였고요.

여름이 지나고 풀잎마저 말라
마른 풀잎들이 부비는 소리뿐
악기 하나 없던 시절

학교에는 풍금 하나가 고작이었기에
음악 시간이면 아이들이 우르르 몰려가
풍금을 밀어 옮겨왔지요.

그렇게 옮겨온 풍금에서는 삐삐 파열음이 났지만
유행가 아닌 "반달" "고향의 봄" 반주에 맞춰
목청이 터져라 노래를 불렀지요.

**나무 조각 고무줄로 맨 짝짝이와
트라이앵글과 탬버린은 공부 잘하는
아이들의 손에 들려지고

나머지 수십 명은 손뼉을 치고 책상을 치며
소음에 가까운 불협화음의 우리들 노래는
연어처럼 세월 강물을 거꾸로 거슬러 오르고 있습니다.**

8. 미술 시간

선생님은 칠판에 제목을 내주시었지요.
"우리 집 그리기"
공책에 몽당연필로 침을 칠해가며

초가집 한 채
툇마루에 앉아계시는 할머니

장독대 옆 오동나무 한 그루
지게 지고 싸리문 나가시는 아버지의 뒷모습

그 모두는 몽당연필의 뎃상이 되어버리고
아이들은 가난을 그려 나갔지요.

그래도 좀 산다는 집 아이는
크레용으로 파란 나무도 그리고
할머니의 회어진 머리색도 칠할 수 있었지만

여기저기서 빌려 간 크레용을 빼앗기지 않으려 애쓰다
완성도 못 하고 미술 시간은 종을 치기도 했었지요.

***있는 집이든 없는 집이든 어린 손에 쥐어진
몽당연필과 크레용은 가난했지만
가난 속에 숨은 희망을 그렸던 것 같습니다.

잘 그려지지 않는 몽당연필에 침을 묻혀
꾹꾹 눌러 글씨도 쓰고 그림을 그려야만 했기에 종이는 찢어지고

질이 좋지 않은 파라핀에 안료 섞은 크레용은
부러지기 일쑤였지요.

색칠은 매끄럽지 않아
덧칠한 듯 두껍게 칠해지거나

사이사이에 모래가 끼어
색이 칠해지지 않아 빽빽 칠하다 보면
그림에 구멍이 나곤 했지요.

그때 그 시절 우리의 미술 시간은
그렇게 색칠해졌고 이젠 그 색마저
흐릿한 기억 속으로 사라져가고 있습니다.***

9. 풍각쟁이 환쟁이를 아시나요.

부모님 졸라 하모니카를 선물 받은 친구는
하모니카 불기로 입이 부르텄고

동네 아이들은 하모니카 한번 불어보자며
순서를 기다렸지요.

하모니카 가진 친구가 부러웠지만
가난했기에 일찍 철이 들어버린 아이는

집안 형편을 알기에 부모님을 조르지도 않고
씨 옥수수로 하모니카 부는 시늉하며
아쉬움을 달래기도 했답니다.

음악가는 풍각쟁이
미술가는 환쟁이로 불리던 시절이기에

예술은 배고픔의 길이라 인식했던 우리네 부모님들은
음악을 한다거나 그림을 그린다는
자식이 있으면 매를 들어가며
인연을 끊자고 목숨 걸고 말리셨지요.

***훗날 유명 작가로 알려진

이화백이 담배 쌌던 종이에
그림을 그릴 수밖에 없었던

그림마저 가난했던 그 시절이었기에
재능은 싹틀 생각도 못 한 채 묻혀야만 했답니다.***

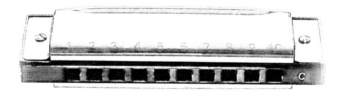

10. 책표지 싸기

새 책을 받아오면
먼저 해야 할 일은
책표지를 싸는 일이었습니다.

종이가 귀해
교과서는 대물림을 해줘야 했기에
묵은해 달력으로 책 겉장을 쌌지요.

누구에겐가 물려주지 않는다 해도
책표지는 책보자기에 쓸려
금방 너덜너덜해지기 때문에
책 표지를 싸야만 했답니다.

일부 아이들만 가질 수 있었던
전과와 수련장을 가진 아이들은

책표지가 달아 너덜거려질지라도
책표지를 지나간 달력으로 숨기지 않았답니다.

전과와 수련장 있다고 자랑하기 위해서였지요.

***참고서나 선행학습 자료 한 권 없던 시절

교과서 한 권도 애지중지 다루면서
베이비부머들은 책을 통째로 외우고

중학교 고등학교 다닐 때는 영어사전을
다 외운 후 사전을 씹어 먹기도 했답니다.

배움에 배고파했던 시절 우리는 배워야 살고
배움만이 성공으로 가는 길이라 믿고

개천에서 용 난다는 말을 실천하기 위해
일심을 다했었지요.***

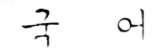

11. 등사기

폐지로 만든 갱지는 인쇄용지로 만들어져
우리들의 시험지로 사용되었지요.

인쇄가 될 얇은 종이를 철필로 긁어서 글을 쓰고

그것을 인쇄 망 위에 얹고 아래는 종이를 얹어서 덮고
밀대로 밀면 얇은 종이에 쓴 글자가 그대로
종이에 인쇄가 되었지요.

한 손으로 밀고 한 손으로 꺼내고 하는 작업을
반복해야 했기에 여러 장을 복사할 때는
누가 옆에서 도와줘야 일이 순조로웠답니다.

시험 때가 되면 선생님들은
믿을만한 학생을 불러 일을 시켰는데

6학년 시험지를 복사할 때는 5학년을 부르고
5학년 시험지는 4학년을 부르고
4학년 시험지는 3학년을 불러 도와 달라고 하셨습니다.

저학년이 고학년 시험지를 봐도
무슨 말인지 알 수 없었기에 시험지 유출의
위험이 없었기 때문이었죠.

롤러에 잉크 묻혀 밀고 한 장 한 장 옆으로 빼고
손등에는 기름기 젖은 검은 잉크가
지워지지 않아 지푸라기 수세미로 문지르던

그 옛날 나의 어린 시절 모습이 아득한 추억 속에
자리하고 있습니다.

***희고 매끄러운 종이가 복사기에서 줄줄이 이어져 나오고
이면지 사용이라는 캠페인까지 벌였지만 지켜지지 않고

보드라운 티슈를 솔솔 뽑아 쓰는 지금 이 시대에는
이해할 수 없는, 아니 이해하려고 하지 않는 일들이죠.

하지만, 베이비부머들에게는
힘들었지만 잊을 수 없는 추억의 시간들이랍니다.***

12. 철수와 영희

철수와 영희!
바둑아! 이리와 나하고 놀자

우리의 가난은 철수와 영희 바둑이가 함께 했지요.

"학교 가게 일어나라"는 어머니의 알람 음보다
더 일찍 일어나게 했던 소리는
문풍지의 파드닥거리는 바람 소리였지요.

우리들의 어머니는
동네 우물에서 물을 길어
아궁이에 불 지펴 새벽밥 지어 먹여 등교시킬 때면
산모퉁이 돌아 아이가 사라질 때까지
키를 돋우며 바라보셨지요.

산길 따라 오솔길을 걸을 때면
뱀을 만나기도 하고 고라니를 만나기도 하며
시오리 먼 길을 걷고 걸어 등교 하였답니다.

학교에서 발뒤꿈치를 들고 교실을 걸어도
엉성한 마루판은 찍찍 부서지는 가난의 소리가 냈고

삐걱거리는 나무 걸상에 앉아
딸그락거리는 양은 필통에서 꺼낸
몽당연필이 손에 잡히지 않을 때면
형과 오빠가 쓰고 남은 볼펜 껍질에 끼워 쓰곤 했지요.

흑연 질이 좋지 않아 글씨가 잘 써지지 않던 몽당연필에
침을 묻혀 꾹꾹 눌러 써나갔던 글씨들은
아마도 배고프지 않은 미래를
꿈꾼 만큼의 힘줌이 아니었을까 싶습니다.

13. 물려받기

책도 물려받고
옷도 물려 입고
지우개가 없어 틀린 글자 침을 묻혀 닦다 보면
종이가 찢어져 빈 공간에 글을 쓰기도 했지요.

칠판 위에 써진 글씨를 지우면
하얗게 날아오는 백묵가루는
검은 머리를 희게 만들었고
교단 위엔 백묵 가루가 눈처럼 쌓였지요.

교실에서 맨 앞줄에 앉은 아이의 머리는
늘 하얗게 백묵가루가 앉아 있었고
솜털 가시지 않은 귀밑머리도
하얗게 가루가 앉곤 했답니다.

백묵가루 하얗게 쌓인 교실 바닥을
청소하고 윤을 내는 것은
우리들의 몫이었지요.

***백묵가루 휘날리던 교실은
몽당연필 분필을 대신해
키보드 두들기는 소리로 바뀌었고

콩나물시루 교실이라 불리던
그때 그 시절 교실은
아이가 없어 폐교의 수순을 밟고 있다니
아련한 추억마저 사라져가는 것 같아 아쉬움이
가슴에 밀려옵니다.***

14. 학교가 끝나면

수업이 끝나면 맨발에 고무신 신고
책보자기 허리에 매고 달리면

몽당연필 들어있는 양철로 만든 필통에선
딸그락딸그락 발걸음에 맞춰 존재감을 드러냈고

집에 다 닿으면 책보자기 대청마루에서 나뒹굴고
여자아이들은 나물 캐러 대바구니 머리에 걸치고
녹 쓴 칼을 들고 쑥과 냉이 달래 캐러 산과 들을 헤맸죠.

남자아이들은
망태기 어깨에 메고 낫을 들고
소 꼴 베러 들로 나가는 꼬마 일꾼 노릇을 해야만
살아갈 수 있었지요.

밤이 되면 숙제도 다 하지 못하고
고된 몸 가누지 못해 호롱불에
머리카락 그을리며 기도 아닌 기도를 하였지요.

그 끄덕거림은 어쩌면 지긋지긋했던 가난에서
벗어나게 해달라는 기도였을지도 모르겠습니다.

***지금 생각하면
그 시절 우리는
참 강한 아이들이었습니다.

그런 우리들이 대견하고 안쓰럽고
자랑스럽다고 스스로 칭찬해주고 싶습니다.***

15. 퇴비증산 운동

학교 담장 밑에 천수답 논이 있었습니다.
소사 아저씨가 그 논에 농사를 짓고 있었지요.

비료가 없던 시절이라
여름이면 풀 한 짐씩 해서 가지고 가는 것이
숙제로 주어지곤 했죠.

저수지 둑에 가서 풀을 베어 망태기에 넣어놓고
저수지 옆 산에 오르곤 했습니다.

산에 올라 개암열매도 따먹고
뽕나무에 열린 덜 익은 오디도 따먹고
찔레도 꺾어 먹고 삐비도 뽑아먹었지요

남자아이들은
나뭇가지에 불을 지펴
개구리와 물고기를 잡아
구워 먹기도 했답니다.

*** 삐비란 띠 풀로 꽃이 피기 전 뽑아 먹으면
단맛이 나서 우리들 간식거리였지요.

또한 손이 칼에 베이면
다 핀 삐비를 따서 상처에 붙이고
쑥으로 감고 토끼풀 줄기로 묶기도 했지요

어른이 되어 한의학을 공부할 때 알고 보니
삐비의 뿌리는 백모근이라 하여
지혈과 항염증 작용이 있더군요.***

16. 쥐꼬리 가져가기 숙제

들쥐도 집쥐도 많던 시절
사람 먹을 것도 부족한데

쥐가 사람 먹을 것을 먹어 치웠기에
정부에서는 쥐와의 전쟁을 선포했고
학교에서는 "쥐꼬리 가져오기"라는
숙제를 내주었습니다.

쥐를 잡아서 꼬리를 잘라
가져가는 것이었죠.

아이들도 쥐잡기를 열심히 하였고
어른들도 쥐를 잡아 자식 숙제에 동참했던
그런 시절이 있었습니다.

**지금 생각하면, 환경이 그렇게 만들었지만
무서운 것 없이 자란 그 시절 우리들이었습니다.

그런 강한 정신이 지금의 대한민국을 만드는
정신적 자원이 되었겠지요.***

17. 파리 잡기 숙제

그 시절
사람은 먹을거리가 부족하여
살찐 사람이 없었건만

뭘 빨아먹었는지
크고 통통한 파리가 참으로 많았지요.

어린아이가 누워 자면
입과 콧구멍까지 파리가 달라붙어
코를 빨아 먹고 있는 광경을
흔히 볼 수 있었지요.

학교에서는 파리가 병원균을 옮긴다고
파리 잡기 운동을 벌였고
여름 방학 숙제로 파리 100마리 잡아 오기가
있었습니다.

냉장고 없는 더운 여름철이기에
파리가 썩기 때문에 미리 잡아 놓을 수가 없었지요.

개학 하루 이틀 전에 파리 100마리를 잡는다는 건
쉬운 일이 아니었죠.

집안에서 파리채를 들고 파리를 쫓아다니면
파리는 어느새 밖으로 날아 가 버렸죠.

소 외양간에 가서 소 등짝에 붙은 파리를 잡다가
소 뒷발에 차인 친구도 있었고

돼지 막에 들어가서 파리 잡다가 미끄러져
온몸에 돼지 똥으로 범벅이 된 친구도 있었습니다.

그 시절 소에게 걷어차인 아이 걱정보다
집안 재산 1호인 소가 더 소중하여
소를 놀라게 했다고 혼을 내셨던 아버지

돼지 막에서 넘어져
똥 범벅이 된 아이의 건강 걱정보다
옷 더럽혔다고 혼내시던 어머니

그 시절 베이비부머들은 그렇게 자랐고
우리의 어머니 아버지의 삶은 그만큼
팍팍했던 겁니다.

***모기 한방 물려도 덧난다고 병원으로
달려오는 지금의 엄마 아빠들

GNP 100불 시대에 자랐던 베이비부머들
GNP 3만 불 시대에 자란 지금의 아이들

가만히 생각하면
가슴 짠하고 가여운 우리 베이비부머들의
어린 시절입니다.***

18. 방학 계획표

즐거운 방학이 시작되면
컴퍼스로 커다랗게 동그라미를 그리고
그 안에 하루 24시간을 쪼개서 빼곡히
하루 일과표를 짰었지요.

8시 기상부터 시작하여 10시 잠자기까지
숙제시간, 식사시간, 엄마 심부름시간, 휴식시간 등

모범적인 하루의 일과표는
만든 다음 날부터 어그러지기 시작하여
개학이 다 되어 갈 때쯤

벼락치기로 방학 책을 완성해야 했고
일기도 한꺼번에 써 내려갔지요.

일기장 맨 위에 그날의 날씨가 있는데
기억을 더듬는 것도 하루 이틀이고
한 달 것을 다 기억하지 못했기에
같은 동네에 사는 친구끼리도
날씨 표시가 달랐었지요.

같은 동네에 사는
영희는 비, 철수는 햇님
그렇게 벼락치기로 일기장은
다 채울 수 있었지만

식물채집 곤충채집은
시간이 필요했기에
미리미리 해놓지 않으면
그 숙제는 제출하지 못하는
친구들이 많았었지요.

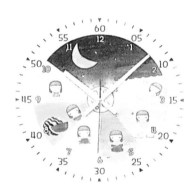

***벼락치기 일기 쓰기는
일과를 소설처럼 만들어 써야 했죠.

지금 생각하면 그 또한 작문
연습이 되었던 것 같습니다.

사람살이에서 경험한 모든 것들은
활용하기 따라서는 자신을 발전시키는 밑거름이 될 수
있다는 옛 어른의 말씀이 생각납니다.***

19. 불 주사

불 주사를 기억하시는지요.
주로 결핵 예방을 목적으로 하는
백신을 접종하는 것을 의미하죠.

지금은 생후 1개월 이내에 BCG
예방접종을 권고하지만.

1960년대~1980년대 초까지는
초등학교 고학년 시기에 맞았던
것으로 기록되어 있더군요.

물자가 흔하지 않던 가난한 대한민국은
알콜 램프에 불을 붙여 놓고
아이들을 운동장에 줄을 세웠지요.

주사바늘 하나로 약을 재워
왼쪽 팔에 주사를 놓고
다시 불에 달궈 소독을 하고
다음 아이에게 주사를 놓았답니다.

철수 팔에 한 번 찌른 주삿바늘
불에 달구어 소독하고
인수 팔에 다시 찔렀고

영희 팔에 들어갔던 주삿바늘
다시 불에 달궈
순희 팔에 쏘~~옥 찔렀답니다.
그래서 이름하여 불 주사였지요.

***불 주사 맞은 팔은
염증으로 빌겋게 되는 경우가 많았고

이 글을 쓰고 있는 나 또한 그때 맞은
불 주사로 오랫동안 고생을 했습니다.

주사 맞은 자리에 고름이 차고 딱지가 앉고
다시 딱지가 떨어지면 고름이 차고
반복된 감염으로 오백 원짜리 동전보다 더 큰
흉터가 튀어나와 있지요.

세월은 흐르고 흘러
수십 년이 지났건만 불 주사의 자국은
지워지지 않는 추억이 되어
또렷하게 그 시절을 얘기하고 있습니다.***

3부

봄날 아지랑이처럼 사라져버린

추억어린 우리들의 언어들

1 마을 비탈진 곳에 물 부어 얼려서
　비료 포대 썰매 삼아 미끄럼타기

2 땔감 가지고 학교 가기

3 이삭줍기, 반하 캐기

4 책보자기, 책가방 없어 보자기에 책 싸서 허리에 매고 등교

5 헌 스웨터 풀어 목도리 장갑 짜기

6 애가 애 업어 키우기

7 두껍아! 두껍아! 헌 집 줄께 새집 다오

8 신우 대에 신문지 붙여 연 만들어 날리기

9 따따따 나팔 붑니다 하며 입에 주먹 대고 골목길 돌기

10 깨진 사기그릇 주워 그릇 하고 흙으로 밥하고
　풀 뜯어 나물하며 소꿉놀이하기

11 시냇물에 종이배 띄우기

12 풀피리 버들피리 보리피리 만들어 삐~삐~불기

13 앞사람 허리 잡고 빙빙 돌며 꼬리잡기 놀이하기

14 얼음판에서 팽이치기

15 새마을청소 참석하기

16 냇물 건너 등굣길 장마가 들어 냇물 불어나면
   선생님들이 마중 나와 업어 물 건너 주기

17 책상을 반으로 나눠 건너오지 못하게 하기

18 파열음 내는 풍금 소리

19 고무신만 놓여 있는 학교 복도 신발장 위 가끔 보이는
   검정색에 가운데 흰 줄 있는 운동화

20 집에서 다 쓴 양초로 교실 마루 윤내기

21 운동회

22 기마전

23 청군 백군

24 학교 앞 불량식품 왕 사탕 입에 물면
   5리길 집에 도착하도록 입안 달달하게 남아있는 사탕

25 아침 조회 좌향좌 , 우향우 , 앞으로 나란히

25 교장 선생님의 긴 훈시 : 오뉴월 뙤약볕에도
   차렷 부동자세로 서 있던 어린 학생들

26 웅변대회 "주제: 불조심"

27 난로에 불 지필 나무 집에서 가져오기

28 난로 위 높게 쌓아놓은 양은 도시락

29 쌀은 보이지 않는 꽁보리밥에
   장아찌 반찬 부끄러워 가리고 먹던 아이

61 이불 솜 틀러 가는 어머니의 머리 위 이불 보따리

62 지남철 만들기~ 대못 철길에 얹어 놓으면
   지남철이 된다고 믿고, 동네 아이들 줄줄이 모여
   전차가 지나기를 기다리는 철길의 아이들

63 서커스 공연 개구멍 드나들기

64 아버지 심부름으로 막걸리 받으러 가기

65 똥지게 진 아버지들

66 가슴에 단 콧물 닦는 손수건

67 등물 하기 "우물가에 엎드려 등에 물 퍼붓기"

68 가마솥에 밥하기

69 소 밭 갈기

70 소달구지 타기

71 새벽을 여는 소리 "똥 퍼요~~"

72 동이로 물 깃기

73 대나무 가지 우산살이 되고 파란색 얇은 비닐로
   만든 비닐우산

74 퇴비증산 운동으로 풀 베어 짊어지고 등교하기.
   인분을 비료로 쓰기 위해 모아오기

75 냇가 빨래터. 뚝섬 마포나루 빨래터

76 이영 엮기

77 농번기 학생 동원 모심기, 벼 베기, 보리 베기,
   논둑에 콩 심으러 다니기

78 멍석 짜기

79 모내기 동원하여 온종일 모내고 얻은 썰레민트껌
   그 귀한 껌 씹다 밥 먹을 때 벽에 붙여놨다가
   다시 씹기. 친구에게 먹던 껌 나눠주기.

91 호롱불에 그림자 놀이하기

92 쥐 잡는 날 쥐꼬리 가지고 학교 가기

93 머리에 이가 바글바글, 몸에도 이가 바글바글

94 소풍가서 보물 찾아 상품 타오기

95 설빔 추석빔
   설과 추석에 엄마가 사준 새 옷 입고 좋아했던 그 시절

96 새 신을 신고 뛰어보자 팔짝하며
   새 신 신는 날의 기쁨을 노래하던 시절

97 강강술래~ "하늘에는 별도 총총 강강술래~"

98 수건돌리기 "동그랗게 둘러앉고 술래가 수건을 놓고
   한 바퀴 돌 때까지 수건 못 발견하면 술래가 되었죠."

99 다리세기 놀이: 서로 마주 보고 다리를 교대로 뻗어
   다리 세기를 하면서 노래를 불렀죠. "이거리 저거리 각거리"

100 쎄쎄쎄 "아침 바람 찬바람에 울고 가는 저 기러기
    우리 선생님 가실 적에 엽서 한 장 써주세요

한 장 말고 두 장이요 두 장 말고 석 장이요
석 장 말고 넉 장이요"

구리구리구리구리 가위, 바이, 보.

시가 노래가 되어

발자국

김서영 작시
임긍수 작곡

1. 꽃 길 비-단길 -의 아름다운 추-억보 -다 돌-
2. 세 상 끝인줄알 았던 수 많 은 시-간들 -도 아-

작 밭 가-시발길 찍-혀진 -발자국 하나하나 더-
파 서 피는꽃도 아름답고 -아 픔이 였-노라 삼 킨

풀꽃 이불

2

아프고 - 슬픈
사 랑 으 로 고 독 을 - 아 - 는 이 에 게 솔 바
람 - 실 - 은 풀 향 기 사 - 랑 - 전 할 거
란 다 사 랑 은 - 고 독 속 에 피 는 홀 로

살아가는 동안

(의사를 위한 헌정곡)

김서영 작시
임긍수 작곡

2

받 음 엔 쉽 게 넘 치 게
하 시 고 줌 에 는 늘 모 자 람 느 끼 며 행 복 가 ― 득
미 소 를 머 금 게 하 ― 소 서 살 아 가
는 동 안 사 랑 하 는 동 안 비 움 의 아 름 다 움 느 끼 게

하 소 서 내가 필 요 한 자리에서 기 보 다 필요로

하는 - 곳에서계하소 서

받 음 서 기 보 다필요로

하는 곳에 - 서계하 소 서

3

김서영 지음

도서명 | 시리도록 그리운 우리들의 이야기
발 행 | 2024년 05월 24일
저 자 | 김서영
펴낸이 | 한건희 | 편집 진익성
펴낸곳 | 주식회사 부크크
출판사등록 | 2014.07.15.(제2014-16호)
주 소 | 서울특별시 금천구 가산디지털1로 119 SK트윈타워
A 305호
전 화 | 1670-8316
이메일 | info@bookk.co.kr

ISBN | 979-11-410-8470-7

www.bookk.co.kr